植物大战僵尸 2 唐诗漫画 ⑧

笑江南 编绘

中国少年儿童新闻出版总社
中国少年儿童出版社
北 京

主要人物介绍

向日葵

白萝卜

菜问

变身茄子

回旋镖射手

豌豆射手

火葫芦

坚果

火爆辣椒

倭瓜

冰西瓜

寒冰射手

导向蓟

高坚果

莲小蓬

竹笋

闪电芦苇

火炬树桩

强酸柠檬

专家导读

流传至今的将近五万首唐诗，是中国文学史上光辉灿烂的明珠，也是世界文学史上异彩大放的瑰宝。

唐代是中国古代社会发展的一个高峰。唐朝国力强盛，社会开放，国际交流频繁。繁荣的经济，比较自由宽松的政治思想环境，造就了文学艺术百花齐放的景象。唐诗，在人们的社会生活和心灵世界中绽放出绚丽的光彩。才华横溢的诗人不断涌现，宛如群星璀璨。除了"诗仙"李白和"诗圣"杜甫外，还有王维、孟浩然、岑参、白居易、杜牧、李商隐等名家高手。唐诗中洋溢着诗人忧国忧民的情怀、奋发进取的豪气、厚德载物的品格，以及"清水出芙蓉，天然去雕饰"的审美理想，鲜明地体现出中华民族自强不息的精神、美妙神奇的想象力和无穷无尽的创造力。

中国的孩子们往往在牙牙学语阶段，在还未能理解句子的完整意义时，就已经会背诵"床前明月光""离离原上草""锄禾日当午"这样朗朗上口的诗句了。在中小学每个学期的语文课本中，也必有几首唐诗需要学习。

然而，仅仅靠课本上的学习是远远不够的。唐诗有着丰富多彩的题材内容与情思意蕴，课本上百十首作品尚不能展现这座宝库的一个小角。而只是死记硬背，有可能使孩子困于背诵之苦，逐渐失去对诗歌的兴趣。

为了让孩子们多读一些唐诗精品，越读越有味儿，中国少年儿童新闻出版总社出版了一套唐诗漫画，不但做到了中小学语文课本中唐诗选篇的全覆盖，而且还以《唐诗三百首》为基础进行延伸编排。这套为孩子精心设计的唐诗启蒙读物，是诗、画、故事的完美结合，可以让小读者轻松愉悦地进入唐诗情境，知悉诗歌内容和幕后故事。书中生动的图画和有趣的故事将激发孩子们朗读、背诵的浓郁兴致，引领他们体验唐诗的诗情、画意和音韵之美，从中汲取优秀传统文化的乳汁，启迪智慧；更能在潜移默化中培养孩子们热爱祖国和人民、热爱生活和大自然的高尚道德情操，开创未来的诗意人生。

杜甫在《春夜喜雨》一诗中写道："随风潜入夜，润物细无声。"希望我们的孩子——祖国的花朵，在文艺的春风春雨滋润中快乐成长，烂漫绽放！

陶文鹏

中国社会科学院文学所研究员、博导

《文学遗产》杂志原主编

目 录

酬张少府

王 维

今天，我们来学唐代诗人王维的《酬张少府》……

扑哧！

菜问，我们学诗呢，你笑什么？

老师，你看那里！

啪！

火爆辣椒，我在上课呢，你跑来捣什么乱啊？

谁捣乱了？我来是要告诉你一个坏消息。

什么坏消息？

校长失踪了！

什么！他不会是被绑架了吧？

不是，好像是他自己离开的。

这是他留在办公桌上的纸条。

我走了，不要来松树林找我。

这……是让我们去松树林找他的意思吧？

他一定是有什么事情想不开了，你陪我一起去找找吧。

我还在上课呢，下了课就跟你一起去。

校长！校长——

倭瓜！倭瓜——

等等，我们镇上有几个松树林？

就这一个啊。

好吧，继续找。

晚年唯好静，万事不关心。
自顾无长策，空知返旧林。
松风吹解带，山月照弹琴。
君问穷通理，渔歌入浦深。

你听，有人在吟诗！

嗯，吟的还是我今天教给学生的《酬张少府》。

这不是重点，重点是那个声音是倭瓜校长的！

真的？

校长！

你一个人在这儿干吗呢？知道我们找你找得多辛苦吗？

我在想要不要像王维一样归隐山林……

校长,您是一校之长,学生们可能并没有把您看作老师吧。要是来一个全镇最受欢迎的校长排行榜,您肯定是第一名!

知识卡片

酬张少府

王 维

晚年唯好静,万事不关心。
自顾无长策,空知返旧林。
松风吹解带,山月照弹琴。
君问穷通理,渔歌入浦深。

诗文大意: 到了老年,我只喜欢安静的生活,对各种事都不太关心了。想想自己也没什么大本事,只想隐居在故乡的山林里。拂过青松的山风吹起了我的衣带,明月照着弹琴的我。如果你要问我在困窘的处境中为何还能如此想得开,就请听听河水深处传来的渔歌声吧。

诗人简介: 王维(701—761),字摩诘,盛唐诗人,尤擅五言。其诗多咏山水田园,与孟浩然合称"王孟",并有"诗佛"之称。此外,其书、画、音律无不精通,宋代著名词人苏轼评价他:"味摩诘之诗,诗中有画;观摩诘之画,画中有诗。"

延伸阅读: 王维早年有过积极的政治抱负,想要做一番大事业。张九龄当宰相时,很器重王维,曾经提拔过他。后来,张九龄被李林甫排挤,贬到了远方。王维这首诗就是为酬答张九龄而作的。张少府即张九龄,少府是官名,唐代称县尉为少府。

早梅

张谓

你成绩太差，每次开家长会老师都点名批评。

你说你怎么就不能多放点儿心思在学习上呢？

你看前面那株盛放的白梅。

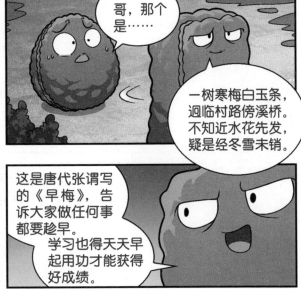

哥，那个是……

一树寒梅白玉条，迥临村路傍溪桥。不知近水花先发，疑是经冬雪未销。

这是唐代张谓写的《早梅》，告诉大家做任何事都要趁早。学习也得天天早起用功才能获得好成绩。

老师也教过这首诗，怎么跟你说的不一样啊？

而且那个不是——

那家伙想干吗？

变身茄子，你想摘梅花吗？

谁在攀折植物啊？你没看到我手上拿的东西吗？

不许攀折植物！

灭蚊灵。

这是什么？

你拿这个做什么？

早 梅

张 谓

一树寒梅白玉条,迥临村路傍溪桥。
不知近水花先发,疑是经冬雪未销。

诗文大意:一株梅花开放了,开满洁白花朵的枝丫仿佛一条条白玉。这棵梅树远离村间小路,生长在溪上的小桥旁。人们不知道这株梅花由于靠近溪水而提前盛放,还以为那是过了冬天尚未消融的白雪呢。

诗人简介:张谓(生卒年不详),字正言,唐朝诗人,天宝年间进士,官至礼部侍郎。他的诗讲究格律,诗风清正,大多是饮宴送别之作,《早梅》为其代表作。

延伸阅读:梅花以其高洁、清雅和耐寒、傲霜的性格被历代诗人所喜爱。张谓这首《早梅》通篇以转折交错、首尾照应的笔法,描绘出了早梅似玉似雪的形态与神韵。最后一句"雪未销"和第一句"白玉条"相呼应,更突出了梅花的耐寒和高洁的形象,加深了人们对早梅的倾慕之情。

清 明 夜

白居易

好风胧月清明夜，
碧砌红轩刺史家。
独绕回廊行复歇，
遥听弦管暗看花。

还念什么诗啊？我们出不去啦。

越是走投无路的时候越不能惊慌失措。

像我一样吟吟诗唱唱歌才好。

要不是你非要来这庙里拜佛求平安，我们也不会迷路。

今天可是清明节啊！出门踏青上香也不奇怪。

人家都是白天来的，谁像你到了晚上才溜进来啊？

我要向白居易学习，在清明夜里安静地赏花啊！

原来这才是你的目的！轻易相信你，我真是太天真了。

太好了！连音乐都有了，这下更符合诗的意境了。

咣儿咣儿咣儿！

什么音乐啊？那是人家在打更吧？

对啊！有人打更就说明那个人在庙外。

我们跟着这声音找过去，就能找到出口啦。

我要不要告诉他这逻辑其实是错误的呢？就算找到打更人所在的位置，我们之间可能还隔着一堵墙。

你听！铜锣声越来越清晰了。

你不是庙外的打更人！

不是啊。我看到如此美好的夜色，想起了白居易的《清明夜》，就演奏了一下而已。

我遇到的都是什么人哪？

清 明 夜

白居易

好风胧月清明夜，碧砌红轩刺史家。
独绕回廊行复歇，遥听弦管暗看花。

诗文大意：清明节的夜晚，月色朦胧，清风吹拂，碧绿的栏杆和红色的墙壁是刺史的宅邸。我独自在曲折的长廊上行走，停下来歇歇脚，听一听远处的音乐声，欣赏一下夜色中的春花。

诗人简介：白居易（772—846），字乐天，号香山居士，唐代著名的现实主义诗人。白居易的诗歌取材广泛，语言通俗易懂，被人们誉为"诗魔"和"诗王"。他的代表作有《琵琶行》《长恨歌》《卖炭翁》等。

延伸阅读：刺史是官名，汉代的时候就出现了，负责监察各地官员。唐代时，州一级的地方长官就叫刺史，唐玄宗天宝年间，州改为郡，刺史改称太守。白居易曾经在忠州、杭州、苏州等地担任过刺史。

秋　　　词

刘禹锡

春夏秋冬

同学们，今天我们来开个讨论会，讨论一下春夏秋冬哪个季节最好。

春夏秋冬

我喜欢夏天！夏天会放暑假，还能吃很多冰激凌，太爽了！

可是夏天很热啊，我不喜欢身上都是汗的感觉。

这……

那菜问最喜欢哪个季节呢？

我喜欢冬天！可以溜冰、滑雪，还能看冰雕、打雪仗！

可是冬天很冷啊，我身上裹着被子都觉得冷。

那是因为你的身体太虚弱了，要加强锻炼！

我觉得春天最好。万物复苏，是一年的开始。

哈哈，还有别的意见吗？

我同意！孟浩然的《春晓》写得多有意境啊。

哦，你背得出来吗？

当然。"春眠不觉晓，处处闻啼鸟。夜来风雨声，花落知多少。"

向日葵，你是在为昨天迟到找借口吧？

你胡说什么呢？

因为现在就是春天呀。你迟到就是因为睡过头了吧？

本来就是这样啊，春困秋乏你懂不懂？

我倒是觉得秋天才是最好的季节。

秋天满地落叶，看了就让人伤感。

但是秋天的气候很温和啊，刘禹锡还写过一首很美的《秋词》呢。

自古逢秋悲寂寥，我言秋日胜春朝。晴空一鹤排云上，便引诗情到碧霄。

被你这样一说，秋天的确是很不错的季节呢。

是啊，秋高气爽，很适合放风筝。

秋天……

好，既然大家都这么认为，那我也决定了！

决定什么了？

19

秋 词

刘禹锡

自古逢秋悲寂寥，我言秋日胜春朝。
晴空一鹤排云上，便引诗情到碧霄。

诗文大意：自古以来的文人到秋天都会生发出悲伤、寂寞的感叹，但我却认为秋天要胜过春天。秋高气爽、晴空万里的时节，仙鹤直冲云霄，将我满怀的诗情也带向了碧蓝的高空。

诗人简介：刘禹锡（772—842），从小跟随父亲学习儒家经典，吟诗作赋方面曾得到著名诗僧皎然的指点。后来他到长安游学，和柳宗元成为同榜进士，世称"刘柳"。刘禹锡的诗风颇为独特，无论长短，都简洁明快，透出哲人的睿智和诗人的真情，深具魅力。除诗歌外，他的文章《陋室铭》也很有名。

延伸阅读：秋天肃杀凄凉的景象容易导致人们心情悲凉，写秋天的诗歌也往往情调低沉，比如我们之前介绍过的张籍的《秋思》等，所以这首《秋词》第一句写"自古逢秋悲寂寥"，但这首诗接下来大力赞颂秋色的美好，表现了诗人奋发进取的豪情和豁达乐观的气魄，在所有写秋天的诗歌中独树一帜。

正月十五夜灯

张祜

哥，元宵节到啦！

没看我正在煮汤圆吗？

汤圆当然是要吃的，最重要的是另外一件事啦！

元宵节是没有压岁钱给的，先跟你声明一下。

这点儿常识我还是有的！

那你到底想干吗？别卖关子了。

人家……人家就是想……

想你跟我一起去拉兔子灯啦！

你多大啦？那是小朋友才玩的。

不管啦！今年我们班说要集体怀旧，相约一起拉兔子灯。

你们真胡闹，集体怀什么旧？

要是你不怕我在人潮中被拐走，我就自己去！

居然用这个威胁我！

别别别……

哥，汤圆煳掉啦！

你这家伙！

等我一下。

哼，学会先斩后奏了。兔子灯买好了也不跟我说，还先藏起来！

哥，镇上还有元宵灯会呢，我们快去看灯吧。

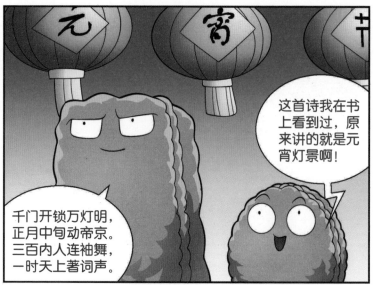

千门开锁万灯明，
正月中旬动帝京。
三百内人连袖舞，
一时天上著词声。

这首诗我在书上看到过，原来讲的就是元宵灯景啊！

坚果，你来啦！

向日葵，你的兔子灯真漂亮。

嘿嘿，我亲手做的！

看看，人家向日葵多么心灵手巧！

哼，你就是心疼我花钱买兔子灯吧。

知识卡片

正月十五夜灯

张 祜

千门开锁万灯明，正月中旬动帝京。
三百内人连袖舞，一时天上著词声。

诗文大意： 千家万户都打开了大门，无数盏灯火都点亮了。正月十五的时候，京城热闹非凡。众多官女一起翩翩起舞，人间的歌声直冲云霄，天上都能听到了。

诗人简介： 张祜（约785—约849），唐代诗人，家世显赫，拥有"海内名士"的美誉。一生跌宕起伏，曾以多种身份浪迹天涯：狂士、浪子、游客、幕僚、隐者……这给他的诗歌创作提供了极好的素材。他的五言律诗成就最高，代表作有《题金陵渡》《听筝》等。

延伸阅读： 张祜的诗歌具有极大的魅力和感染力。他创作的《宫词二首》之一"故国三千里，深宫二十年。一声何满子，双泪落君前"流行一时。传说后来这首诗传入了宫廷。唐武宗病重时，歌艺双绝的孟才人十分悲痛，唱起了这首诗，唱到"一声何满子"的时候，竟然断气而亡。可见张祜诗歌能引起人们心灵极大的共鸣。

春　日

宋　雍

公园里的景色真美啊！

轻花细叶满林端，昨夜春风晓色寒。黄鸟不堪愁里听，绿杨宜向雨中看。

叽叽……

黄鸟不堪愁里听……哇啊啊……

哇！哇！

27

你怎么了，菜问？

我听了你吟诵的诗歌，不由得悲从中来啊！

看你这样子，是在学黛玉葬花吗？

不，我是……

你比我那个笨弟弟有情趣啊。

以前总认为你和他一样，真是对不住啊！

我怎么觉得你是在损我呢。

没有！我打算让弟弟来学学你的诗情呢。

不不不，千万不要……

侬今葬花人笑痴，他年葬侬知是谁……

等等！

请你来看看清楚再说吧。

我养过冬的蝈蝈，让昨晚的春寒给冻死了！

我只是来掩埋它的，哪来"葬花"的心情！

菜问，听说你昨天去葬花了，还在那里念黛玉写的诗。

谁在那里以讹传讹啊？

知识卡片

春 日

宋 雍

轻花细叶满林端，昨夜春风晓色寒。
黄鸟不堪愁里听，绿杨宜向雨中看。

诗文大意：林子里树木的枝头都长满了小花和嫩叶。昨晚的春风带着寒意，拂晓的时候人们仍能感觉到寒冷。悲伤的时候受不了听见黄莺的啼鸣，会让人愁上加愁，而飘拂的杨柳枝已变绿，适合在细雨中欣赏。

诗人简介：宋雍（生卒年不详），唐代宗、德宗时期的诗人。他很擅长写诗，一开始默默无闻，双目失明后，才渐渐变得有名起来。历史上关于他的记载资料非常少，《全唐诗》里也只收录了他的两首诗。

延伸阅读：这篇故事中高坚果以为菜问在学"黛玉葬花"，这个典故来自《红楼梦》，林黛玉怜惜花，怕落下的花瓣被糟蹋，就把花瓣装在绢袋里埋葬了。高坚果吟的两句诗"侬今葬花人笑痴，他年葬侬知是谁"，正出自黛玉所作的《葬花词》。

从军行

杨 炯

小鬼僵尸炮!
发射——

好啊——

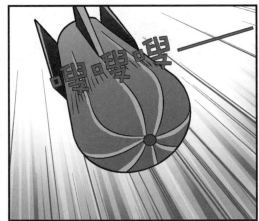

怎么回事？刚才我们不是把植物的战船炸沉了吗？

那艘船上的植物们好像提前撤退到旁边的小艇上去了。

可恶！这些狡猾的植物。

船长，你要干吗？

去救海盗小鬼僵尸!

船长，我第一次感到你的形象高大起来了。

我会在这里等你救援归来的!

你……你……你不跟来啊?

烽火照西京，心中自不平。
牙璋辞凤阙，铁骑绕龙城。
雪暗凋旗画，风多杂鼓声。
宁为百夫长，胜作一书生。

你们是在鼓励我要勇敢参与僵尸和植物的战斗吗?

你想多了，这是老师布置给我的作业，让你这个俘虏帮忙抄写一下而已。

可是我刚刚真的很勇敢不是吗？跟着炮弹一下子就飞过来了。

是啊，一下子就自投罗网了。

从没见过这么笨的僵尸……

船长说了，这是一种自我牺牲的精神。我也的确成功地把你们的战船炸沉了！

不提起这件事还好，一提起来我就想揍他一顿，怎么办？

看在他为我抄作业的分儿上……

34

等他全部抄完了，你再揍他吧！

海盗小鬼僵尸！你还在不在？

船长来找我了，他没有放弃我！

呦！还真找来了啊。

你不在的话，我的小鬼僵尸炮可就再也没有用武之地了啊！

快点儿跟我回去，咱们重组一下炮筒，继续发射！

呜呜呜……对船长来说，我就是个僵尸炮弹啊！

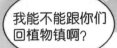

我能不能跟你们回植物镇啊？

没把你丢下海喂鲨鱼就不错了，还想跟我们回家？

知识卡片

从 军 行

杨 炯

烽火照西京，心中自不平。
牙璋辞凤阙，铁骑绕龙城。
雪暗凋旗画，风多杂鼓声。
宁为百夫长，胜作一书生。

诗文大意：报警的烽火一直燃到了长安，壮士的心自然难以平静。将帅奉命出师刚刚离开官门，身披铁甲的骑兵们就开始围攻敌方重镇。军旗上的图案被漫天大雪掩盖住了，大风的声音使鼓声显得杂乱。我宁愿当一个百夫长去冲锋陷阵，也不愿做一个旁观的书生。

诗人简介：杨炯（650—692），唐代诗人，与王勃、骆宾王、卢照邻齐名，被誉为"初唐四杰"。杨炯少年时便才华出众，散文和诗歌都很有名，代表作有《出塞》《紫骝马》《从军行》等，风格豪放、对仗工整。

延伸阅读：这首诗第二联中的"牙璋"是调兵用的凭证，分两块，分别在朝廷和主将手中，这里代指将军奉命出征。汉武帝的官殿上有金凤，所以被称为"凤阙"，后来就常常被用来指代皇官。"龙城"是匈奴的重要城市，这里借指敌方的要地。

山中留客

张 旭

难得你来我们家做客，午饭也吃了，我们去逛逛大山吧。

看窗外的天气，像是会下雨啊。

你没学过张旭的《山中留客》诗吗？在山里，下点儿小雨算什么啊？

还真没学过，你念给我听听。

山光物态弄春辉，莫为轻阴便拟归。纵使晴明无雨色，入云深处亦沾衣。

听你这么一说，在山里淋点儿小雨，反而很有诗意了？

正是如此。

我还要洗碗呢，你们先去吧。

我们这就走吧。

看来他们遇上了雷阵雨，得躲一阵子才能回来了。

碎——

咦，你们怎么回来了？

什么《山中留客》啊？张旭可没说山里会下这么大的冰雹！

冒雨出行的确不是什么好事，以后我还是相信自己的判断比较好。

知识卡片

山中留客

张 旭

山光物态弄春辉，莫为轻阴便拟归。

纵使晴明无雨色，入云深处亦沾衣。

诗文大意：山中风景亮丽，众物各具姿态，一副春天的明媚景象。不要看到有一些阴云就打算回家。就算是晴天，没有下雨的迹象，走到白云缭绕的山林深处，蒙蒙水汽也会沾湿你的衣裳。

诗人简介：张旭（675—约750），字伯高，著名书法家，以草书著名，被誉为"草圣"。他的诗也别具一格，以七绝见长。个性豁达大度，才华横溢，与李白、贺知章的关系很不错。

延伸阅读：山中往往云雾缭绕，一般是由于山中植物所蒸发的水分多，而山上温度又比山下低，导致水汽凝结而形成的。白云环绕的高山总给人感觉有仙灵之气。比如贾岛《寻隐者不遇》中所写的"只在此山中，云深不知处"。而《山中留客》这首诗意境清幽，颇具哲理，别具一番韵味。

杨柳枝词九首
（其一）
刘禹锡

校长，学生们反映说校歌的歌词太陈旧了，他们想要唱符合当代潮流的新校歌。

校歌是十年前就定下的，体现了我们学校的传统文化。怎么可以说改就改呢？

在这一点上，我倒是站在学生这一边的。您应该学习唐代的刘禹锡，勇于革新才对。

你是说《杨柳枝词九首（其一）》？

对啊。

塞北梅花羌笛吹，淮南桂树小山词。请君莫奏前朝曲，听唱新翻杨柳枝。

别忘了，那首校歌是前任校长定下的。轮到您这一任了，是该改一改啦。

你说的也有道理，那就在全校范围内征集新的校歌吧。

是！

你跟我过来!

你看看!你看看!这都是什么东西?

这……

他们以为是办个人演唱会啊?

你给我解释解释,这又是怎么回事?

火炬树桩之歌

作者:火炬树桩

我宣布，校歌保持原样不变！

唉……

知识卡片

杨柳枝词九首（其一）

刘禹锡

塞北梅花羌笛吹，淮南桂树小山词。
请君莫奏前朝曲，听唱新翻杨柳枝。

诗文大意：起源于塞北的《梅花落》曲子是用羌笛吹奏的，而淮南小山所作的《招隐士》篇也被传唱不止。这两首作品毕竟是很久以前的乐曲，请大家不要再反复演奏了，还是来听一听我改旧翻新的《杨柳枝词》吧。

延伸阅读："杨柳枝"是唐代教坊曲名，歌词的形式就是七绝，词经常用来咏柳。本诗第一句中讲的是汉乐府中的《梅花落》，后代人写的歌词经常与梅花有关。第二句中的"桂树"指的是西汉淮南王刘安门客所作的《招隐士》篇，这篇中几次提到了桂树。它们与《杨柳枝词》都以树木为歌咏对象，在内容上有相通的地方，所以刘禹锡拿来与《杨柳枝词》相比。刘禹锡在晚年共创作了九首《杨柳枝词》。

淮上喜会梁川故人

韦应物

怎么是你啊？

咦？

你忘啦？10年前我们在工地上一起干活儿的。

工地上？

那时候你力气大得很，帮了我不少忙呢。

没想到我们会再相逢，真是缘分啊！

我想你——

我也很想念你啊！

谁让那个工头卷款逃走了呢？

本来咱还能在一起待上一阵子的。

老板，点菜！

来啦！

今天遇上10年前结识的好兄弟了，我高兴！给我上几个你们店里的推荐菜，我跟兄弟一起吃！

你们这情形跟韦应物的那首《淮上喜会梁川故人》一模一样啊。

什么诗？你倒是念来听听啊。

江汉曾为客，相逢每醉还。浮云一别后，流水十年间。

欢笑情如旧，萧疏鬓已斑。何因不归去？淮上有秋山。

兄弟，这诗真不错！对吧？真不错。

你根本没听懂吧！

两位，我这就去准备好菜，马上送过来。

去吧去吧，别妨碍我跟兄弟谈心。

兄弟，这 10 年你在干吗呢？

我在行侠仗义。

真了不起！

没什么。

我呢，换了个工地，总算当上了包工头。现在手下也算是有几个小兵了。

来了来了！两位的菜来了。

大汉铜人，我记得你最爱吃螺蛳了！快尝尝味道鲜不鲜。

嘬！

嗯，饭也吃得差不多了。

你听我说啊……

我想告诉你，我是侠客铜人，不是大汉铜人。你认错人了。

啊？

知识卡片

淮上喜会梁川故人

韦应物

江汉曾为客，相逢每醉还。

浮云一别后，流水十年间。

欢笑情如旧，萧疏鬓已斑。

何因不归去？淮上有秋山。

诗文大意：我和你曾一同客居江汉，每次见面必定要喝醉才回去。自从我们像两朵浮云一样离别后，十年的岁月如流水般匆匆逝去。今日重逢，相谈甚欢，我们的情谊还和当年一样，只不过彼此都已经头发稀疏、两鬓斑白了。你问我为什么不回家乡，只因为贪恋淮上美丽的风景啊。

诗人简介：韦应物（737—约789），长安人。他出身名门望族，年少时就成为唐玄宗近侍，出入官廷，豪纵不羁。安史之乱后他才立志读书。唐代宗至德宗年间，他做过苏州刺史，因此世称"韦苏州"。韦应物诗风恬淡高远，以善于写景和描写隐逸生活著称。

延伸阅读：诗人在淮水边重逢阔别十年的梁州老友，本诗表达的是作者的感慨。淮上在现在的江苏淮安一带，梁州在现在陕西汉中，首句中的"江汉"指的就是梁州。这两个地方都靠近大河，诗人在诗中也把时间比作流水。

题 菊 花
黄 巢

哥，我们家院子里种的是金菊吗？

是啊，每年秋天我都喜欢摆上几盆金菊。

帮我剪一些花枝下来吧。

你要用来做什么？

菜问不是生病了吗，他让我明天带些金菊去探望他。

探病带金菊？

你确定他让你带的是金菊？

你自己看嘛。

还真是金菊……

哥，为什么每年秋天你都种菊花，怎么不换点别的花种一种呢？

我觉得秋天最美的就是菊花，高洁而典雅，不同于大多数花在春天开放，显得特别独立。

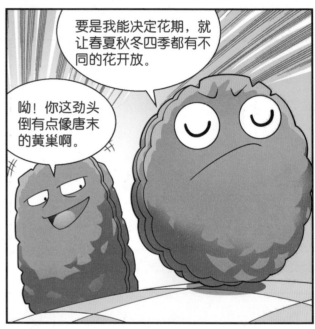

要是我能决定花期，就让春夏秋冬四季都有不同的花开放。

呦！你这劲头倒有点像唐末的黄巢啊。

黄巢怎么了？

他有一首《题菊花》，就写得很大气。

快念给我听听。

颯颯西风满院栽，
蕊寒香冷蝶难来。
他年我若为青帝，
报与桃花一处开。

他是要让菊花和桃花一起在春天开放！

好了，一共剪了9枝花，应该够了吧？

够了够了。

有胆魄吧？在古代算是很有气势的诗歌了。

交给你了。明天带去探望菜问吧。

先别给我啦。

53

54

一天后

哥，我回来了……

你怎么了？跟人打架了？

我把金菊送给菜问，他竟然说我在咒他！

直接给了我一拳……

那家伙不是病了吗，哪来这么大的力气？而且，不是他自己要求送金菊的吗？你还给我看手机短信了。

他说他要我带的是开胃生津的金橘！打字打成"金菊"只是他手误。

我哥说了，让你这个白字先生好好学习，别只顾着欺负同学！

知识卡片

题 菊 花

黄 巢

飒飒西风满院栽，蕊寒香冷蝶难来。
他年我若为青帝，报与桃花一处开。

诗文大意：萧瑟的秋风吹拂着满院开放的菊花。花蕊带着寒意，花香也幽冷，蝴蝶也难得来。有朝一日，我要是当了掌管时令的春神，就让菊花和桃花一同在春天盛开。

诗人简介：黄巢（820—884），唐末农民起义领袖，别名"冲天大将军"。他生于盐商家庭，擅长骑射，少年时就有作诗的才能，成年后参加科举却总是落榜。

延伸阅读：黄巢的两首有关菊花的诗都很有名，上一册我们已经介绍过他的《不第后赋菊》。这首《题菊花》表现了黄巢的斗争精神和必胜信念。最后两句暗含的意思是，如果自己获得政权，就会给人们带来温暖的春天。宋代有人说这首诗是黄巢五岁时的作品，虽然不可信，但可说明他很早就有反抗的思想。

莲　叶

郑谷

移舟水溅差差绿，
倚槛风摆柄柄香。
多谢浣纱人未折，
雨中留得盖鸳鸯。

学诗的美妙之处就在于看到如此美景时，能够用一行行充满意境的诗句来形容，

而不是只会说"太美了""太漂亮了"。

老师，老师……

在校外怎么还有学生来找我？

原来是强酸柠檬啊，找我有什么事？

老师，您说过自己小时候也是个调皮鬼吧？

别的不记得，怎么偏记着这句了？

是啊，怎么了？

我现在有一件十万火急的事，想要拜托曾经是调皮鬼的老师您。

说吧，到底什么事？

这个夏天我跟莲小蓬玩了三次捉迷藏，每次都找不到他，郁闷死我了。

所以，这次我想请老师帮忙一起找。

您小时候一定也没少玩捉迷藏吧？

原来是这事儿啊，多简单。我来帮你找就是了。

你们是在哪儿玩捉迷藏啊？我们一起划回去找找看吧。

不不，不用划回去。

我们刚才就在这艘船上玩的捉迷藏。我一闭上眼睛，莲小蓬就跳下去装成莲蓬了。

我觉得我们一辈子都找不到莲小蓬了。

知识卡片

莲　　叶

郑　谷

移舟水溅差差绿，倚槛风摆柄柄香。
多谢浣纱人未折，雨中留得盖鸳鸯。

诗文大意：船儿前行时水面荡漾，绿色的荷叶随着水波起伏不定。我倚在船上的栏杆边，看风儿吹动一柄柄荷叶，传来缕缕清香。应该感谢洗衣女子没把荷叶摘下，这样下雨的时候荷叶还能为水中的鸳鸯挡雨。

诗人简介：郑谷（约851—约910），字守愚，唐末著名诗人。因其最终官职是都官郎中，世称"郑都官"。因为他写过的鹧鸪诗广为流传，又有个"郑鹧鸪"的称号。郑谷一生作诗很多，多写景咏物之作，表现士大夫的闲情逸致。讲究炼字炼句，但清婉明白，通俗易晓。

延伸阅读：这首《莲叶》的前两句，尤其"柄柄香"一语，不禁让人联想到北宋词人周邦彦的几句词："叶上初阳干宿雨、水面清圆，一一风荷举。"而前两句中叠字的使用，又让人想到南宋诗人赵师秀的"黄梅时节家家雨，青草池塘处处蛙"。

闻乐天授江州司马

元 稹

唉！好辛苦啊，不知道船长的气消了没有……

喂，你听说了没？海盗僵尸被派去植物镇侦察敌情了。

啊？

碎！

你怕什么呀？还打碎了一只碗。

植物镇是顶顶可怕的地方了，船长怎么会派海盗僵尸去那里呢？

有多可怕呀？

听说去过植物镇的僵尸回来后，不是缺了胳膊就是断了腿。

还有一些船员被派了这个任务后，就躲在外面三年五载不敢回来呢。

那海盗僵尸不就惨了？

不行，我一定要写封信给他。

他在外面居无定所的，你怎么把信交给他？

别忘了我们有海鸥僵尸，他可以传信给海盗僵尸。

写信就写信，你酸酸地写首诗上去做什么？

你不懂，这是元稹听到白居易被贬官后写的诗。

残灯无焰影幢幢，此夕闻君谪九江。垂死病中惊坐起，暗风吹雨入寒窗。

我必须让他尽快回来才行！

你跟海盗僵尸的友情真深厚。

好容易交了个能在船长身边说上话的朋友，怎么可以让他在这么关键的时候被外派呢？

啊？

就算被外派，也要等他求船长把我的大副职位恢复了再去啊！否则这个朋友不是白交了吗？

知识卡片

闻乐天授江州司马

元 稹

残灯无焰影幢 (chuáng) 幢，此夕闻君谪九江。

垂死病中惊坐起，暗风吹雨入寒窗。

诗文大意：灯火将要熄灭，一片昏暗中只能看见影子摇曳不定。今晚我听到你被贬去九江的消息，大病中的我震惊得从床上坐起。阴冷的风带着雨从窗口吹入，带来一阵寒冷。

诗人简介：元稹 (779—831)，字微之，年少时就才名远播，与白居易是终生诗友。两人提倡写诗要浅显易懂，世人将他们二人并称"元白"。元稹多次上书评论时政，引起了皇帝的注意，但也因此触犯了权贵，仕途十分坎坷。

延伸阅读：元稹和白居易从年轻时就齐名，而且是一辈子的好友。元稹将白居易的诗文编订为《白氏长庆集》，又将自己的文集命名为《元氏长庆集》，"长庆"是唐穆宗的年号。后代的人甚至将与元稹和白居易风格相似的长篇叙事诗发展出了一种"长庆体"，也叫"元白体"。

旅夜书怀
杜 甫

细草微风岸，危樯独夜舟。
星垂平野阔，月涌大江流。
名岂文章著，官应老病休。
飘飘何所似？天地一沙鸥。

校长，我找了您半天，原来您在这儿背诗呢。

我在想，植物学校办成现在这个样子，我是不是应该引咎辞职？

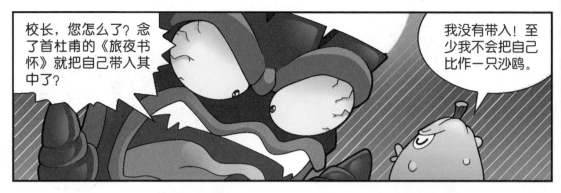

校长，您怎么了？念了首杜甫的《旅夜书怀》就把自己带入其中了？

我没有带入！至少我不会把自己比作一只沙鸥。

您那体形跟沙鸥是差得远了点儿……

你说什么？

没什么，没什么。

能告诉我您为什么会有辞职的想法吗？

你想想，我带了这么多学生来野营，还是自己掏钱请他们来玩的……

是啊，大家都很感谢校长您的慷慨大方。

我可没感受到一丝丝的感谢之情。

真要说起来，我反而感受到了一丝丝的恶意。

不，您一定是误会了，他们对您一点儿恶意也没有。

不说别的，就说那些学生，年纪轻轻的不干活儿，竟然让我这个上了年纪的校长来捡柴火。天底下有这种道理吗？

可是分配下来的活儿当中，捡柴火已经是最轻松的了。

你怎么就不能领会我的意思呢？

我只要坐在旁边监督大家干活儿就好。

旅夜书怀

杜 甫

细草微风岸，危樯 (qiáng) 独夜舟。

星垂平野阔，月涌大江流。

名岂文章著，官应老病休。

飘飘何所似？天地一沙鸥。

诗文大意：微风吹拂着江岸边的小草，桅杆高耸的小船孤零零地停泊着。星星低垂在一望无际的原野上，月光照耀着波涛汹涌的大江。我的名声难道是因为会写文章吗？年老病弱的我也的确该辞官归隐了。到处漂泊的自己像什么呢？就像天地间那只孤零零的沙鸥。

诗人简介：杜甫（712—770），字子美，自号少陵野老，后世也称其杜工部。杜甫是伟大的现实主义诗人，他忧国忧民，他的诗被称为"诗史"，他本人则被称为"诗圣"。同时，杜甫也有狂放不羁的一面，从其名作《饮中八仙歌》不难看出其豪气干云。

延伸阅读：唐代宗年间，杜甫在成都的好友和依靠严武去世，于是杜甫携一家老小乘船东下，途中作了这首诗。严武是个军人。杜甫在成都时被他的诚意感动，到他的幕府任检校工部员外郎，所以杜甫又有了杜工部之称。

李白年轻时作过一首《渡荆门送别》，其中有两句"山随平野尽，江入大荒流"，本诗的第二联可能受到了这两句的影响。

宿骆氏亭寄怀
崔雍崔衮

李商隐

火车站

回植物镇的车票真的没了吗？我弟弟一个人在家待了3天了，我不放心啊！

售票口

3

现在时间 17：30

请自觉排队

你再不放心也没用啊！17：00以后就没车了。

那还有什么别的方法可以回到植物镇吗？

让我想想……

售票机

你可以到码头那里去问问……

码头有船可以回去？

说不定你还会遇上惊喜哟！

谢谢！

竹坞无尘水槛清，
相思迢递隔重城。
秋阴不散霜飞晚，
留得枯荷听雨声。

宿骆氏亭寄怀崔雍崔衮（gǔn）

李商隐

竹坞无尘水槛清，相思迢递隔重城。
秋阴不散霜飞晚，留得枯荷听雨声。

诗文大意：竹丛里的船坞和水边的栏杆清净无尘。我想把思念传达给远方的人，中间却隔着重重的城郭。秋日的天空阴云不散，霜降的时节也来得晚，只听见雨水打在干枯荷叶上的声音。

诗人简介：李商隐（813—858），字义山，是晚唐诗坛的一颗明星，与杜牧合称"小李杜"，与温庭筠合称"温李"。他的近体诗，尤其是七律有独特的风格，其咏史诗和爱情诗都很出名，代表作品有《夜雨寄北》《乐游原》等。

延伸阅读：诗中的"骆氏亭"具体在哪里没有定论，可能在长安城外。第二句中的"重城"指的正是长安。崔雍崔衮是兄弟，他们的父亲叫崔戎，对李商隐有知遇之恩，聘任李商隐为幕僚。有趣的是，在《红楼梦》第四十回中，林黛玉说喜欢本诗的最后一句，但把"枯荷"说成了"残荷"。

再游玄都观

刘禹锡

你说这儿的地下有宝藏，真的假的啊？

这是古籍上记载的，错不了！

我总觉得这荒无人烟的地方，不像是有宝藏啊。

这你就不懂了，宝藏都藏在这种偏僻的地方，

人来人往的地方哪可能让人埋宝藏啊？

那这里的宝藏是谁埋下的啊？

据说是唐朝的一班达官贵人，就是打压刘禹锡的那帮人。

刘禹锡因为他们被贬到很远的地方去了。
回来后还专门写了一首诗讽刺那些权贵们。

诗里描写的情形是不是和这里很像？

还真是，又是菜花又是青苔的。

百亩庭中半是苔，桃花净尽菜花开。种桃道士归何处？前度刘郎今又来。

那他们把刘禹锡打发走，就是为了埋宝藏？

对，古籍里就是这么说的。

你那到底是什么古籍啊？

是我在书市上花了大价钱淘来的……

大价钱是多少钱？

一块二毛八……

你去的不是书市，是废品收购站吧？

这么便宜？

这年头，旧书能卖到这个价已经不错了！

废话少说！古人的记载总不会出错的。

好吧，就信你一回，咱们开挖吧！

嗨哟！！

不对啊！咱们从黑夜挖到黎明了，一点儿宝藏的影子也没有！

那边还有一大片没挖呢，别这么早就放弃。

可是，天亮了不就让别人看到我们在挖宝藏了吗？

倒也是啊，要不今天晚上再来挖？

好，先回去吧。

玄者观……

网上说，唐代的玄都观早就消失不见了！

知识卡片

再游玄都观

刘禹锡

百亩庭中半是苔，桃花净尽菜花开。
种桃道士归何处？前度刘郎今又来。

诗文大意： 广阔的庭院中大半都长上了青苔，桃花谢了之后菜花接着开放。当年种下桃树的道士现在去了哪里？曾经在这里赏花的刘郎今天又来了啊。

延伸阅读： 玄都观是长安城里的一座道观。刘禹锡曾在玄都观写过看花诗，然后被贬至偏远地区。14 年后他被召还，特地旧地重游，又写了本诗。原诗之前还有个引子，写出了事情的原委。刘禹锡被贬的 14 年间，皇帝换了 3 个，朝廷人事也有很大变动，当年和他被贬有关的人有些甚至已经死了。诗人用桃花来借指当权者。

送沈子归江东

王 维

哥，你这次出差要去 10 天，我一定会非常想念你的。

我尽量缩短行程。

不不，你还是安心出差吧，千万不要为了我而耽误工作。

老师说古代人喜欢折下柳条送行。

我要不要也去折一枝给你？

别，那样不环保。

那我就吟一首诗给你送别吧。

杨柳渡头行客稀，罟师荡桨向临圻。惟有相思似春色，江南江北送君归。

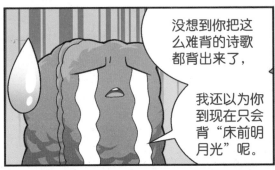

没想到你把这么难背的诗歌都背出来了，

我还以为你到现在只会背"床前明月光"呢。

我已经长大了，哥哥。

是的，哥哥特别欣慰。

哥，我接个电话啊。

坚果！你哥还没走吗？

没有啊。

送完他赶紧来火车站！大家都到齐了，就等你了！

好，我这就去……

菜问！什么火车站？你给我说清楚！

唉，刚才白煽情了……

知识卡片

送沈子归江东

王　维

杨柳渡头行客稀，罟 (gǔ) 师荡桨向临圻 (qí)。
惟有相思似春色，江南江北送君归。

诗文大意： 杨柳依依的渡口行人稀少，船家摇着船桨，渐渐驶向了江东。只有思念仿佛春天的景色，不论你是去江南还是江北，都会伴随着你一直到家中。

延伸阅读：《送沈子归江东》是唐代诗人王维的作品，描述了友人乘船离去后诗人目送的情景以及当时的感受。沈子也作沈子福，是诗人的朋友。

　　古人送别时常常会赠送柳枝，所以柳树是送别诗中最常见的景物。王维更出名的送别诗《送元二使安西》中同样提到了柳树："渭城朝雨浥轻尘，客舍青青柳色新。劝君更尽一杯酒，西出阳关无故人。"

芙蓉楼送辛渐

王昌龄

咯咯……
咯咯……

能不能不去
看病啊？咯
咯……

你都咳成这
样了还不肯
去医院？

可能是受了风
寒，我体质很
好的，很快就
能……

你已经咳了三
个月了，这叫
体质很好？

好啦，我去
看病就是了。
咯咯……

你病得挺严重，必须经过三个疗程才能痊愈。

能不能一个疗程就治好啊？

我又不是神医！

你别废话，听医生的！

是是，全听您的，医生。

桑拿浴室

第一个疗程是"热疗法"，

可以祛除你体内的寒气。

84

我也怕热啊！待在外面就感觉到一阵阵热气了，里面估计更可怕……

我最怕热了，还让我蒸桑拿，不是要害我吧？咯咯……

有你这样吓唬病人的吗？不如你跟他一起进去蒸一蒸！

不不不，我坚决不去。

寒雨连江夜入吴，平明送客楚山孤。洛阳亲友如相问，一片冰心在玉壶。

背的还是王昌龄的送别诗。

你热晕头啦，怎么突然背起诗来了？

怎么回事啊？他都进去半小时了，要不要紧啊？

时间有点儿长了。

他不会热晕了吧？

我们进去看看吧，以前真的有人热晕在里面。

……一片冰心
在玉壶……

知识卡片

芙蓉楼送辛渐

王昌龄

寒雨连江夜入吴，平明送客楚山孤。

洛阳亲友如相问，一片冰心在玉壶。

诗文大意：寒冷的雨落在江面上，我们连夜来到了吴地，黎明时分我送别好友，只留下楚山一片孤独的影子。洛阳的亲朋好友如果向你打听我的消息，请告诉他们，我的心依旧像玉壶里的冰一样纯洁无瑕。

诗人简介：王昌龄 (698—约 757)，字少伯，盛唐著名边塞诗人，后人誉为"七绝圣手"。其诗以七绝见长，尤以边塞诗最为出色，与高适、王之涣齐名。他曾做过江宁丞，也被称为"王江宁"，有"诗家夫子王江宁"之誉。

延伸阅读：芙蓉楼的旧址在今天的江苏镇江。用冰来比喻心灵纯洁，汉代时就有，而唐代人用"冰壶"来比喻为官清廉。"一片冰心在玉壶"这一句是千古名句。我国现代著名作家、诗人谢婉莹的笔名就是"冰心"二字。

闻官军收河南河北

杜甫

哈哈，再过几天就能收获啦。

变身茄子，在家吗？变身茄子！

怎么了？火急火燎的……

十万火急啊！僵尸军团来偷袭我们了！

什么？他……他们到哪儿了？

离这儿不到500米，赶快逃啊！

可是我的南瓜就要成熟了——

愚蠢！到底是命重要还是南瓜重要啊？

可恶！

快跟我走！

僵尸千万不要发现我的南瓜啊！

你来我们学校避难5天了，怎么都没露出过笑容呢？

让我怎么笑得出来啊？我种了好久的南瓜就这么没了……

我还是第一次看到不担心家里的房子，反而担心南瓜的人……

因为我家一贫如洗，最值钱的就是南瓜了！

……

喂！变身茄子、火炬树桩……

告诉你们一个好消息！我们的植物战队把僵尸军团赶出去了。

真的？

呀，这真是太好了……

当然是真的，我怎么会拿这么重要的事开玩笑呢？

剑外忽传收蓟北，初闻涕泪满衣裳。
却看妻子愁何在，漫卷诗书喜欲狂。
白日放歌须纵酒，青春作伴好还乡。
即从巴峡穿巫峡，便下襄阳向洛阳。

你在念些什么啊？

这是唐代诗人杜甫的一首七律，表达的就是赶走敌人的喜悦心情啊！

为什么？

变身茄子早就走了。

杜甫这首诗创作于在四川避难的时候……

火炬树桩，别解释了！

哥，你看变身茄子整天对着南瓜头发呆，要不要劝劝他？

知识卡片

闻官军收河南河北

杜 甫

剑外忽传收蓟北，初闻涕泪满衣裳。

却看妻子愁何在，漫卷诗书喜欲狂。

白日放歌须纵酒，青春作伴好还乡。

即从巴峡穿巫峡，便下襄阳向洛阳。

诗文大意：我身在四川，忽然传来了朝廷军队收复蓟北的消息，一听到这消息我就激动得泪水沾满了衣衫。再看看妻子和孩子，他们脸上的愁云早就消散了。我胡乱地收拾起书本，欣喜若狂。我在白天就放声高歌，开怀畅饮，明媚春光的陪伴正好可以助我返回故乡。这就从巴峡穿过巫峡，经过襄阳后就能直奔洛阳啦。

延伸阅读：唐代宗广德元年（763）春天，唐朝军队收复了河南河北部分地区，叛军头领纷纷投降，安史之乱即将结束。热爱祖国的大诗人杜甫饱经战乱，当时正在四川地区流离，听到消息后不禁欣喜若狂，吟出了这首被称为"杜甫生平第一快诗"的七言律诗。

诗中的"河南河北"和现在的两省区域不一样，指的是黄河的南边和北边，大约是现在洛阳一代和河北省北部。"妻子"和现代的意思也不一样，指的是妻子和孩子。

天竺寺八月十五日
夜桂子

皮日休

啊，这股清香真是让人胃口大开啊！

有了！我可以办一个桂花宴……

哥，桂花糕好了吗？

快了快了，蒸一蒸就熟了。

你们老师的想法也太多了，圣诞节要搞狂欢派对，

考试结束后要集体旅游，连阖家团圆的中秋节都不放过！

老师说了，不是每年都办的，今年只想办一个桂花宴。

哼，不是每年都有……明年说不定就变成桃花宴、荷花宴了。

老师说了，今年他会铆足全力办好桂花宴的，每个学生负责带一种桂花制成的食品过去就好，还可以拿到纪念品呢。

咦，什么味道？

啊！桂花糕！

老师，这是我带来的雪梨桂花羹。

我带的是桂花糖藕。

嘿嘿，哥哥帮我做了桂花糕。

看我亲手做的桂花酸奶蛋糕！

看来你们都很有心啊，把吃的都放在桌上吧。

老师是不是也准备了许多桂花食物啊？

那是肯定的啊，老师是东道主嘛。

想到马上就可以大快朵颐，我的口水都要流出来了。

你注意点儿形象，这是在老师家。

老师，我们什么时候开吃啊？

不忙不忙，今天是中秋佳节，我们一起来对月怀古吧。

玉颗珊珊下月轮，殿前拾得露华新。至今不会天中事，应是嫦娥掷与人。

我知道！这是唐代皮日休的诗《天竺寺八月十五日夜桂子》。

的确很符合此情此景呢。

这是要干吗？不会是谁吟诗吟得多，谁就能多吃几筷子吧？

哈哈，真要是这样的话，我和豌豆射手就划算了！

坚果不用担心，刚才只是老师一时诗兴大发，这次举办的桂花宴没有要比试文采的意思。

我去拿给大家准备的纪念品。

知识卡片

天竺寺八月十五日夜桂子

皮日休

玉颗珊珊下月轮，殿前拾得露华新。

至今不会天中事，应是嫦娥掷与人。

诗文大意：一朵朵细小的桂花如同一颗颗玉珠从月亮上洒落下来，我在大殿前捡起了它们，发现花瓣上还有刚刚凝结的露水。至今我都不知道天上到底发生了什么事，这些桂花应该是嫦娥撒下来送给人们的吧！

诗人简介：皮日休（约838—约883），字袭美，晚唐诗人、文学家，与陆龟蒙齐名，世称"皮陆"。曾中进士，后来参加了黄巢的农民起义军，成为翰林学士。

延伸阅读：据说皮日休的左眼角下塌，远远看去，就像仅有一只眼睛。皮日休初到官场中，礼部侍郎郑愚戏弄他："你很有才学，但怎么是一个'目'的呢？"皮回答说："侍郎不可因为一个'目'而废掉两个'目'啊。"言下之意是说，侍郎你不可因为我独眼，就让你自己失去了辨别事物的能力。

无　　　题

李商隐

快跑！快跑！射门！

唉，就差那么一点儿……

07:30

嘀嘀嘀……

哥，你要去上班了吧？

可恶！马上就要进入点球大战了。

你放心地去吧，我会把比赛结果发短信通知你的。

一定要为番茄队多多加油啊！

昨夜星辰昨夜风，
画楼西畔桂堂东。
身无彩凤双飞翼，
心有灵犀一点通。
隔座送钩春酒暖，
分曹射覆蜡灯红。
嗟余听鼓应官去，
走马兰台类转蓬。

高坚果，怎么上班时间吟起诗来啦？

我凌晨就起来看球了，眼看着进入点球大战了，

我却不得不来上班，这郁闷的心情跟李商隐有得一拼啊！

你刚才也在看球？我也是赶在点球大战开始前急匆匆来上班的。

您也是球迷吗？还以为您那么忙，没空看球呢。

嘀！

太棒了！点球大战后，番茄队最终以10：8战胜了炒蛋队！

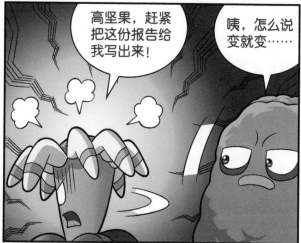

高坚果，赶紧把这份报告给我写出来！

咦，怎么说变就变……

你不知道吗？回旋镖射手是炒蛋队的忠实球迷。

无　　题

李商隐

昨夜星辰昨夜风，画楼西畔桂堂东。
身无彩凤双飞翼，心有灵犀一点通。
隔座送钩春酒暖，分曹射覆蜡灯红。
嗟余听鼓应官去，走马兰台类转蓬。

诗文大意：昨夜星光灿烂，凉风习习，我们参加的宴席就在画楼的西面，桂木厅堂的东边。虽然我们身上没有凤凰的翅膀，不能一起高飞，但内心却像有着灵兽犀牛的角一样，能心灵相通。在酒席上我们玩着隔座送钩和分组射覆的游戏，喝着酒，内心暖意融融，红红的烛光照在大伙儿脸上。可惜我听到了更鼓报时的声音，只能离开酒宴前去当差，策马赶到兰台的我简直就像是随风飘扬的蓬草。

延伸阅读：传说犀牛是灵兽，它的角中有白纹如线，贯通两端，感应灵异。"心有灵犀"这个成语正是从这句诗中而来。现多比喻双方对彼此的心思都能心领神会。送钩指的是"藏钩"，是古代一种猜物的游戏，"射覆"也是一种猜谜游戏，还可以用来行酒令。这两种游戏都需要配合默契，心意相通。

无 题
李商隐

哥，我要参与班级的诗剧创作啦。

诗剧是什么?

就是根据诗歌创作的短剧啦，简称"诗剧"。

春蚕到死丝方尽
蜡炬成灰泪始干。
无力百花
境但愁

呦，没想到我的笨弟弟还有创作才能?

哼，我可是在众多竞选者中脱颖而出的呢!

105

那你说说，你们要创作的诗剧是根据哪首诗？

李商隐的《无题》。

李商隐写过好多首《无题》，是哪一首呢？

老师让我们每个创作人员都把诗背下来了，是这首：

相见时难别亦难，东风无力百花残。
春蚕到死丝方尽，蜡炬成灰泪始干。
晓镜但愁云鬓改，夜吟应觉月光寒。
蓬山此去无多路，青鸟殷勤为探看。

一字不差，还真背下来了。

我好不容易有了表现的机会。哥，你可要做我的坚强后盾啊！

好，哥哥支持你！

哥，给我一点儿钱，我要去买蚕宝宝。

你要养蚕宝宝玩啊？

不是玩，是为了更好地体会诗意。

春蚕到死丝方尽……

好吧，哥说过会支持你的。钱给你。

杂货店

老板，我要这个、这个和这个！

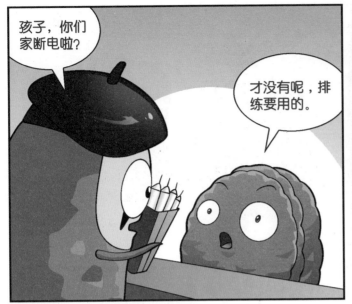

孩子，你们家断电啦？

才没有呢，排练要用的。

排练？

哥……

又问我要钱？你们这个短剧花销也太大了吧。

最后一次啦！我要买几只青鸟。

……

老师，你们那个短剧为什么那么耗钱啊？你知道我前前后后总共给了我弟多少钱吗？

什么？那些道具都是坚果花钱买来的？

是他说家里有很多现成又合适的道具，所以自告奋勇来应征短剧的道具师啊。

道具师？不是创作人员吗？

你不是说从众多竞选者中脱颖而出的吗?

他们竞选的都是演员和编剧啊,只有我应征了道具师,当然脱颖而出了。

知识卡片

无　　题

李商隐

相见时难别亦难,东风无力百花残。

春蚕到死丝方尽,蜡炬成灰泪始干。

晓镜但愁云鬓改,夜吟应觉月光寒。

蓬山此去无多路,青鸟殷勤为探看。

诗文大意:见面很难,离别时就更难舍难分。暮春时节东风已弱,百花凋谢。春蚕结茧,直到死才把丝吐完,蜡烛完全燃尽时蜡油才会滴干。早晨对着镜子时担心她秀发干枯,容颜憔悴。晚上长吟时担心她感觉月光寒冷,难以入眠。蓬山离这里并不是很远,却没有路可通达。希望青鸟作为使者,殷勤地为我去探看她,传递消息。

延伸阅读:李商隐写过不少"无题"诗,这些诗内容晦涩难懂,可能是写爱情,也可能是另外有所寄托,因资料不足而无法明确。

　　诗中的第二联"春蚕到死丝方尽,蜡炬成灰泪始干"现在已经成为赞颂老师的名句。最后两句中的"蓬山"是"蓬莱山"的简称,是传说中的海上仙山。"青鸟"出自《山海经》,据说是西王母的使者,后来青鸟就成为使者的代称了。

鹭鸶

罗隐

不好啦！不好啦——

怎么了？着急忙慌的……

你的海鸥跟鹭鸶打起来啦！

什么？

海鸥你别生气啊！我一定想办法给你报仇。你先告诉我是怎么一回事吧。

嘎嘎……嘎嘎嘎……

哦，原来是你们抢食河边的小鱼引起的争斗啊……

嘎嘎……嘎嘎……嘎嘎嘎……

啊？你让我不要用暴力解决，要用文明的方式战胜它？

这可难倒我了！当了这么久的海盗，我还从没用过什么文明的方式解决问题呢。

好好好，你别生气，

我去想个文明的办法。

113

......

......

你家海鸥脾气也太怪了，有这么多要求！

我可是要靠它飞翔的。

你快帮我想个办法啊！

最近读了一首诗，正好是讽刺鹭鸶的。你要不要让海鸥学一下，去刺激刺激那只凶残的鹭鸶？

这法子好啊！咱们动口不动手，正好符合海鸥的非暴力要求。

斜阳澹澹柳阴阴，风袅寒丝映水深。不要向人夸素白，也知常有羡鱼心。

我……我没记住……你再念一遍。

斜阳澹澹柳阴阴……

嚁嚁……嚁嚁嚁……

叽叽……叽叽叽……

呃……

怎么回事？你不是用诗讽刺它了吗？

嚁嚁……嚁嚁……

鹭鸶说它没向人类夸素白，向脏兮兮的僵尸和海鸥夸一下素白还是绰绰有余的。

……

海盗小鬼僵尸！我的海鸥离家出走了。

知识卡片

鹭鸶

罗 隐

斜阳澹(dàn)澹柳阴阴，风袅寒丝映水深。

不要向人夸素白，也知常有羡鱼心。

诗文大意： 斜阳的照射下水波荡漾，柳树成荫，鹭鸶头顶上的羽毛随风而动，倒映在水里。别再向人们夸耀自己洁白无瑕了，谁都知道你心里一直存着想要吃鱼的念头！

诗人简介： 罗隐（833—909），唐末诗人。他参加了很多次科举考试，却每次都落榜，史称"十上不第"。罗隐诗名远扬，对于社会和人生的看法独树一帜，写有不少以物咏志的讽喻诗，他的七律也往往写得真情动人。

延伸阅读： 最后一句的"羡鱼心"让人联想到孟浩然《望洞庭湖赠张丞相》中的"坐观垂钓者，徒有羡鱼情"。最早，西汉刘安及其门客编写的《淮南子》中有一句"临河而羡鱼，不如归家结网"，后来有个成语"临渊羡鱼"就出自这里。

十五夜望月
寄杜郎中
王　建

以前我都是跟功夫气功僵尸一起过中秋节的，只有今年他赶不回来一起过了。

真想把自己的思念之情传达给功夫气功僵尸啊。

这个简单，直接写封信给他就行了。

对呀，我怎么没想到这个好办法呢？

可我文笔不好，怕表达不清楚。

不用你表达，直接抄一首诗给他就行了。

传情达意的诗歌这么多，选哪一首好呢……

床前明月光，疑是地上霜……今夜鄜州月，闺中只独看……

不对不对！全都不符合我的心境。

咦，这首！

中庭地白树栖鸦，冷露无声湿桂花。今夜月明人尽望，不知秋思落谁家？

王建写给好友的中秋月夜诗，太符合我的要求啦！

在你家门口遇上了邮差。

是功夫气功僵尸给你的回信吧？

真的？快给我看看。

我们院子的树上居然站着乌鸦，这么晦气，头，我才不回来呢！等你把那些乌鸦赶走了再叫我回来。

十五夜望月寄杜郎中

王　建

中庭地白树栖鸦，冷露无声湿桂花。
今夜月明人尽望，不知秋思落谁家？

诗文大意： 庭院里月光满地，树上栖息着乌鸦，阴冷的露水无声地沾湿了桂花。今晚明月当空，世人全都在仰望它，不知道有谁会升起思念之情。

诗人简介： 王建（生卒年不确定），字仲初，唐朝诗人。出身寒微，一生潦倒。与张籍友善，乐府诗与张齐名，世称"张王乐府"。其诗多为七言歌行，题材广泛，语言通俗凝练，富有民歌色彩。

延伸阅读： 上一册中介绍的王维"人闲桂花落，夜静春山空"是有关桂花的名句，其实有关桂花的诗歌还有很多。每到秋天，正是桂花怒放的季节，桂树又与月亮的传说有关，所以很多写秋天或中秋的诗歌都会提到桂花。比如白居易《忆江南》中的"山寺月中寻桂子"，宋代柳永《望海潮》中的"三秋桂子，十里荷花"等。

金陵晚望
高蟾

充能柚子，你在看什么呢？

感觉很久没有回过地球了，好怀念它啊！

听说你无聊的时候背了一整本唐诗选集，不如吟诗一首，来表达一下你此刻的心情。

什么叫无聊的时候啊，就不能老实点儿夸我文学功底深厚吗？

好好好，你是文学大家，行了吧？

让我想想，有什么诗句可以表达我此刻的心情……

有了！

曾伴浮云归晚翠，犹陪落日泛秋声。世间无限丹青手，一片伤心画不成。

虽然你念得声情并茂，可我觉得这首诗和你现在的心境不符啊。

怎么不符了？是你没理解这首诗的真意吧。

我是用这首诗来表达自己看着蔚蓝地球时候的心情。

我心里充满了忧虑，不知这个星球未来将会变成什么样子。

就说不对嘛！你现在的心情不应该是这样的。

难道你比我更懂得我的心情？

你该担忧的是不知自己何去何从吧，地球还是会一直好好转下去的。

谁让你揭穿这可悲的现实的？

谁知道你念诗是为了逃避现实啊……

激光豆，飞船的操作面板到底什么时候能修好？我们已经在宇宙里飘浮大半个月了！

……

金 陵 晚 望

高 蟾

曾伴浮云归晚翠,犹陪落日泛秋声。

世间无限丹青手,一片伤心画不成。

诗文大意:我曾经在傍晚伴着浮云眺望郁郁葱葱的树木,如今却在夕阳照耀下看着一片凄清秋景。世界上有那么多优秀的画家,却没有人能描画出我的伤心。

诗人简介:高蟾(生卒年不详),晚唐诗人。家境贫寒,多次参加科举考试不中。他很重视气节,官至御史中丞。他比较擅长写律诗和绝句。

延伸阅读:丹青原指两种可以当作颜料的矿物,后来就成了绘画的代称。这首诗最后两句说什么样的画家也画不出人的伤心。但稍晚的诗人韦庄看到这首诗后,也作了一首《金陵图》,反驳高蟾说:"谁谓伤心画不成?画人心逐世人情。君看六幅南朝事,老木寒云满故城。"

观 猎

王 维

风劲角弓鸣，将军猎渭城。
草枯鹰眼疾，雪尽马蹄轻。
忽过新丰市，还归细柳营。
回看射雕处，千里暮云平。

哟，真是新鲜事啊，菜问竟然在看语文课本！

太阳打西边出来了吧？

你们不要嘲笑我！我对这类豪气干云的诗歌还是很有好感的。

哦，是王维写的《观猎》啊，的确很有气势。

可惜现代人没法狩猎……

保护野生动物，人人有责。

知道啦，平时我都吃素的，也就是感慨一下而已。

其实我听朋友说了，郊外有一个模拟猎场。

模拟猎场？

里面有弓箭什么的，可以骑马射草丛中的靶子。

那不是跟狩猎活动很像吗？

所以才叫模拟猎场啊，笨！

哈哈哈，向日葵你也有被菜问嫌弃太笨的时候啊。

可恶！

每人30元一小时，你们要玩几个小时？

就先玩一个小时吧。

弓箭和马匹都在猎场入口，你们可以自行取用。

好的。

同学们，走吧！

是真马啊！好帅。

我喜欢高头大马，这匹不错。

我怎么变成箭靶子了？这不对劲啊！

我们去问问这里的售票员吧。

变身茄子，你在这里干多久了？

大概有4个月了吧。

为什么我们射击的标牌上全都是植物的形象？我朋友明明跟我说过，那些箭靶子上画的都是僵尸啊！

因为上周大富翁淘金僵尸把这里买下了，顺便把所有的箭靶子全都换成了植物的形象。

最近生意怎么样啊?

植物们组织了抗议游行,还发了好多传单,都没人来玩了。

知识卡片

观　　猎

王　维

风劲角弓鸣,将军猎渭城。
草枯鹰眼疾,雪尽马蹄轻。
忽过新丰市,还归细柳营。
回看射雕处,千里暮云平。

诗文大意:强风吹动角弓发出鸣响,将军在渭城狩猎。草叶枯黄,放出去的猎鹰眼神显得格外锐利;冰雪消融,追逐猎物的马蹄显得格外轻快。转眼间,将军已经过了新丰市,不久又回到了细柳营。回过头眺望曾经射雕的地方,暮色中千里云朵伸到了天边。

延伸阅读:诗中的细柳营有一个典故。据《史记》记载,汉文帝时期朝廷派了三路军队在边防驻守,以防匈奴入侵,细柳营是名将周亚夫驻军的地方。文帝去三个驻军地慰劳军队,在另外两处都长驱直入,只有细柳营军纪严明,不能随意进出。文帝认为其他两处都很容易被敌人偷袭,只有细柳营能抗击敌人,对周亚夫很是赞赏,又重用了他。

八月十五日夜
湓亭望月

白居易

法老僵尸，我真不是故意的，请您原谅我的无礼。

不对不对，太僵硬了！

法老僵尸，那只是我一时的口误，我对您身上的棺木没有任何不敬的意思。

131

不对不对，不能再提到那件事，免得引起他不好的回忆。

法老僵尸，请您宽宏大量，原谅我这个小人吧！

不行不行，这么一说显得法老僵尸是故意针对我。

虽然他就是针对我，把我发配过来值夜班……

唉，我怎么就那么不小心呢？

你说法老僵尸天天背着那具棺木，累不累啊？

那是他身份和地位的象征，不背也得背啊。

那玩意儿又沉又难看，换了是我，我可不愿意背。

喂，你……

你什么你？我可不像你胆子这么小……

我看法老僵尸哪天变成驼背老公公了，那才有趣呢！

是吗？等我变成驼背老公公了，你可能还轮不到帮我提鞋呢。

法……法……法老僵尸……

最近夜里总是不太平，死神僵尸你要不要到沙漠边缘去值夜班？

值……值……值夜班？

要是你不愿意值班，给前代长老去守墓也不错。

我去值班！我去值班！

昔年八月十五夜，曲江池畔杏园边。
今年八月十五夜，湓浦沙头水馆前。
西北望乡何处是，东南见月几回圆。
昨风一吹无人会，今夜清光似往年。

真是一首
好诗啊！

法……法
……法老
僵尸……

对不起！我真的
没有冒犯您的意
思，请您大人不
记小人过！

唉，我原谅
你了……

真的？那我
可以不用值
夜班了？

反正太阳神僵
尸已经率众推
翻了我的统治，
原不原谅你都
无所谓了。

啊？

135

太阳神僵尸，请您让我回到大家的身边吧。我不想一个人待在沙漠边缘了。

听说你是冒犯了法老僵尸才被罚的，说不定你也会冒犯我的，还是过一阵子再说吧。

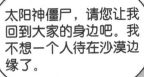

八月十五日夜湓（pén）亭望月

白居易

昔年八月十五夜，曲江池畔杏园边。
今年八月十五夜，湓浦沙头水馆前。
西北望乡何处是，东南见月几回圆。
昨风一吹无人会，今夜清光似往年。

诗文大意：往年八月十五的夜晚，我在曲江池边的杏园和大家一同赏月。今年八月十五的夜晚，我却在江州湓浦沙头的水馆前独自伫立。朝西北的方向望去，不知道故乡在哪里。身处东南之地的我已经看到月亮圆了好几次了。昨天秋风吹过，没有人理会，只有今晚清冷的月光还和往年一样。

延伸阅读：《八月十五日夜湓亭望月》是白居易被贬去江州后创作的诗歌。这首诗的核心词是"望月"，望月的诗歌很多，这首诗最后一句"今夜清光似往年"和张若虚的名篇《春江花月夜》中"江月年年只相似"、刘禹锡《石头城》中的"淮水东边旧时月"写法上有相似之处。

陇西行

王 维

不……不好了!

怎么啦?

植物大军攻过来了,这里要失守啦!

那我们怎么办?

你赶紧让骑牛小鬼僵尸去找海盗僵尸们来帮忙,只有那批海盗才能抵御植物的强大攻击。

何必这么麻烦?打个电话叫他们来救援就行了!

还用你教吗？就是电话打不通才让骑牛小鬼僵尸去求救的！

估计海盗僵尸们又在哪个完全没信号的荒僻海域流浪。

骑牛小鬼僵尸，我们的希望全在你身上了！

放心吧！我一定不辱使命。

啊！我历尽千辛万苦，终于找到你们了！

你骑这个来的？来干吗啊？

你听我背首诗就明白了。

十里一走马,五里一扬鞭。
都护军书至,匈奴围酒泉。
关山正飞雪,烽火断无烟。

看来军情紧急啊,明天我和滚桶僵尸、飞索僵尸一起去支援你们吧。

太感谢你们了!

不过有个条件啊,你最好搞几匹马来,我们不能都骑在你的机器牛上面吧?

好吧。

这是什么啊?

马找不着,我只能弄几匹木马来了。

等我们到了，估计不用参战，直接收拾残局就行了。

知识卡片

陇 西 行

王 维

十里一走马，五里一扬鞭。
都护军书至，匈奴围酒泉。
关山正飞雪，烽火断无烟。

诗文大意：前来告急的军使策马扬鞭飞奔而来，五里十里的路程瞬间疾驰而过。这时都护府派来的军使送来了告急的军书，原来匈奴的军队已包围了我们的重镇酒泉。接到军书之后，朝酒泉的方向望去，只见远处的山峦原野漫天大雪，都不见烽火的痕迹。

延伸阅读：本诗作于开元二十五年（737）前后。当时王维以监察御史的身份奉使出塞，到河西节度使崔希逸幕府去。《陇西行》是古曲名，属乐府古题，唐朝常常用这个题目来写战争。比较有名的还有陈陶的《陇西行（其二）》："誓扫匈奴不顾身，五千貂锦丧胡尘。可怜无定河边骨，犹是春闺梦里人。"

和乐天春词

刘禹锡

向日葵怎么还没下来啊？

谁知道啊？女孩子家家的，事情就是多。

不好意思，让你们久等了。

你到底在干吗啊？

去郊外踏青会被太阳晒伤的啊！

为了保护面部肌肤，我涂了三层防晒霜。

是我不好，本来就不该带你玩的……

好啦好啦，难得出来玩，别吵架啦。

你说什么？

……

新妆宜面下朱楼，
深锁春光一院愁。
行到中庭数花朵，
蜻蜓飞上玉搔头。

嘻嘻，你看，她的头上停了一只蜻蜓。

这是什么诗啊？

是刘禹锡的《和乐天春词》，虽然意境和现在有些不同，但是"蜻蜓飞上玉搔头"这个情景，还真像呢。

你看向日葵呆呆不动，不会还在为刚才的事生气吧？

你去道个歉吧，别坏了她郊游踏青的心情。

嘿！在干吗呢？蜻蜓都停在你头上了。

谁寂寞了？本姑娘才不是那样伤春悲秋的人呢。

那你究竟在难过什么呀？瞧你眉头皱的……

是吗？原来只有蜻蜓停上来啊……

怎么啦？你不会真像刘禹锡诗中的女子一样，看到春光反而感觉寂寞了吧？

凭什么她身边围绕着那么多漂亮的蝴蝶，

我却只能吸引蜻蜓过来呢？

和乐天春词

刘禹锡

新妆宜面下朱楼，深锁春光一院愁。
行到中庭数花朵，蜻蜓飞上玉搔头。

诗文大意：女子打扮得漂漂亮亮，走下了红楼。庭院紧闭，春光虽然美好，她却只有忧愁。女子来到庭院中，数着开放的花朵，没想到有蜻蜓停留在了她的玉簪上。

延伸阅读：朱楼是指刷着红漆的楼房，多指富贵女子的居所。玉搔头就是玉簪，因为可以用来挠头，所以也叫玉搔头。

《和乐天春词》是刘禹锡为好友白居易的《春词》创作的一首酬唱作品，白居易的原诗是："低花树映小妆楼，春入眉心两点愁。斜倚栏杆背鹦鹉，思量何事不回头？"

过融上人兰若

綦 (qí) 毋 (wú) 潜

功夫气功僵尸！功夫气功僵尸……

唉，又不在啊……

来都来了，不如看看景色再回去吧。

山头禅室挂僧衣，
窗外无人水鸟飞。
黄昏半在下山路，
却听泉声恋翠微。

人家都来拜访你3次了。你又不是诸葛亮，怎么还躲着人家啊？

齐桓公为了见东郭野人还往返5次呢，我怎么着也得让他跑个6次吧！

人家那么诚心诚意，大老远一趟趟往山上跑，

就为了拜你为师。你就一点儿都不感动？

感动什么呀？你没听他说还要欣赏欣赏风景才回去吗？这就说明他的拜师之心还不够诚恳！

竟然在纠结这个……

请问功夫气功僵尸在吗？

糟了，我没来得及躲起来……

呃……他好像出门去了……

又出门去了啊？

请问你来过几次了？

算上今天，有5次了。

147

那下次就可以让功夫气功僵尸见他了。

你明天再来吧，我会让功夫气功僵尸留在家里等你。

真的？那太好了！

这热切的劲头……虽然不是来拜我为师的，但我都被感动了啊！

那就听你的，明天正式和他见个面吧。

别吓人啊！

终于见到传说中的武林大师了啊！我太感动了。

先跟你说明一下，来我这儿学武必须交学费，而且还要具备吃苦耐劳的精神……

等等！

谁跟你说我是来向你学武的啊……

不来学武你一次次地跑得这么勤干什么？

我是来向你挑战的啊！要是战胜了你，武林大师的名头就归我啦。

149

过融上人兰若

綦 (qí) 毋 (wú) 潜

山头禅室挂僧衣，窗外无人水鸟飞。
黄昏半在下山路，却听泉声恋翠微。

诗文大意：山上的禅院外挂着僧衣，窗外静悄悄的，只有水鸟飞过。黄昏时分，我沿着山路往回走，聆听潺潺的山泉声，留恋这山间的一片青翠。

诗人简介：綦毋潜（生卒年不详），字孝通，唐代诗人。与王维、张九龄、孟浩然等著名诗人关系都很好。其诗清丽典雅，恬淡适然，诗风接近王维，代表作有《春泛若耶溪》《送宋秀才》等。

延伸阅读：《过融上人兰若》是诗人拜访和尚融上人不遇之作。诗人所要寻访的和尚名字叫融，上人是对和尚的尊称，而兰若是梵语"阿兰若"的简称，指和尚的住所。"翠微"是形容山光水色青翠缥缈，不少地方和建筑以"翠微"为名，很有仙灵之气。

新 年 作

刘长卿

新年快乐

万事如意

过新年啦！
过新年啦！

哥，新年啊！
表示表示呗。

表示什么？压岁钱不是昨晚就给你了吗？

那个不算！大过年的你带我去游乐园玩玩吧，

或者到百货商店去买几件新衣服。

你也知道大过年的，游乐园里肯定挤瘫了！

百货商店绝对会趁这个机会宰客，我才不去呢。

151

人家要有过年的气氛嘛！

家里不是有爆竹吗？自己拿去放着玩吧。

哥哥太坏了！

坚果，你也来啦？

菜问、向日葵、豌豆射手，你们怎么都在啊？

家里太无聊了，爸妈又不肯陪我出来逛，只好跑出来透透气了。

看来我们的家长都是一个模子里刻出来的……

大过年的，不要这么沉闷！

对对对，就是！

既然这样，让老师带我们出去玩吧。

好主意！

你俩都是好学生，老师或许愿意带你们玩。我和坚果就……

别这么说！老师不会因为这个而区别对待我们。

是啊，我看他关注你和坚果比较多，我都有点儿吃醋了呢。

好，那我们一起去找老师吧！

好！

乡心新岁切，天畔独潸然。
老至居人下，春归在客先。
岭猿同旦暮，江柳共风烟。
已似长沙傅，从今又几年。

什么意思？

老师难道被发配边疆了？

不要啊！我出去玩的希望全押在他身上了啊！

大家别慌，我加过老师好友，可以看到他的朋友圈。

快看看他最近发过什么状态，我可不希望他远走他乡啊！

可恶！根本不是发配边疆，而是早就背着我们去玩了！

而且还是出国游玩！金沙碧浪，太浪漫了！

我还是回去放放爆竹吧。

大人的世界不是我们能懂的……

知识卡片

新 年 作

刘长卿

乡心新岁切，天畔独潸然。

老至居人下，春归在客先。

岭猿同旦暮，江柳共风烟。

已似长沙傅，从今又几年。

诗文大意：思乡之情随着新年来临而更加急切，我身处偏远之地，只能独自落泪。人到老年却被贬官，春天比我更早地回到家乡。山中的猿猴与我共度晨昏，江边的杨柳与我共同承受风烟侵袭。我和被贬谪的贾谊遭遇相同，今后不知道还要这么过多久。

诗人简介：刘长卿（约709—约780），字文房，中唐诗人。官终随州刺史，世称刘随州。善于写诗，尤其是五言诗，自称"五言长城"，《逢雪宿芙蓉山主人》是其代表作。

延伸阅读：刘长卿受到诽谤而获罪，被贬为南巴尉，郁郁不乐地创作了这首诗。诗中的长沙傅是西汉时期著名的政论家贾谊，他少年得志，被其他大臣所嫉恨，曾经被贬为长沙王的太傅，后来被召回长安当了梁怀王太傅，但梁怀王坠马而死，贾谊深感自责，郁郁而终，年仅33岁。刘长卿在诗中是自比贾谊。

上元夜六首
（其一）

崔液

元宵灯令

哥，快走啦！看花灯去。

每年这时候就你最兴奋！

看，可不止我一个吧？

老师和同学们都来了。

哈，没想到大家都来赏灯了。

157

去年元夜时，花市灯如昼。月上柳梢头，人约黄昏后。

你这首诗是怀念去年元宵节的，与现在的情景不符。

那你来一首啊！

玉漏银壶且莫催，铁关金锁彻明开。谁家见月能闲坐？何处闻灯不看来？

的确是豌豆射手念的崔液的诗更符合当下的情境。

老师偏心！

人好多啊！都挤不进去……

哥哥你看，那盏猴子灯好像坏了……

应该是灯泡爆掉了。

让一让！

让一让！

我是来修猴子灯的，大家让一让！

哈，终于占到好位置了！

159

知识卡片

上元夜六首（其一）

崔 液

玉漏银壶且莫催，铁关金锁彻明开。
谁家见月能闲坐？何处闻灯不看来？

诗文大意：计时的滴漏和箭壶依然报着时辰，人们都嫌时间过得太快。今晚城门会整夜不关闭。在这美好的元宵之夜，谁能不出来赏月呢？又有谁不出来看花灯呢？

诗人简介：崔液（生卒年不详），字润甫，初唐诗人。从小喜爱文学，擅长写五言诗，曾任监察御史、殿中侍御史、吏部员外郎等官职。他因为兄长崔湜获罪流放而受到牵连，后来遇到大赦，在返回京城的途中病亡。

延伸阅读：上元节指的是农历正月十五日，又称元宵。中元节是农历七月十五日，一般是祭祀祖先和阵亡的将士等。下元节是农历十月十五日，民间祭祀亡灵，并祈求下元水官排忧解难。

　　诗中的"玉漏银壶"是古代计时的工具，在壶中盛水，壶底打一小孔，壶中立着一支带刻度的箭，壶中的水逐渐减少，箭上的刻度逐渐露出，人们就可以按刻度击鼓报时。

唐诗小知识

送 别 诗

送别诗简介

顾名思义，送别诗自然就是送别时候所作或以送别为题所作的诗歌，以抒发离别时候的情感。

古人将离别看得特别重，因为古时候交通不便，亲人朋友之间一旦离别，往往很多年都难以相见。有时候，亲友回来了，自己却又离开了，很可能还会遇到战乱、灾荒等，一次离别就成为永别并不罕见。所以，古人的离愁别绪特别浓厚，送别诗就成了抒发这种情感的载体之一。

古人在为人送别的时候，往往要设酒饯别、吟诗话别，传统习俗中还要折柳枝相送。而送别诗在内容上，有写夫妻之别、亲人之别、友人之别的，也有写同僚之别的，甚至有与偶遇过客之间的送别的。

离别是几乎所有人都会遇到的情景，所以送别诗自古就有，比如南朝时的诗人江淹就有一首特别有名的《别赋》。到了唐代，诗歌迎来了大发展，唐代文人又很重视漫游，送别诗就大量出现了。送别诗虽然没有专门的流派，但几乎每个唐代诗人都写过送别诗，基本上有别必有诗，出自送别诗的千古名句也特别多，像"海内存知己，天涯若比邻""桃花潭水深千尺，不及汪伦送我情""劝君更尽一杯酒，西出阳关无故人"，等等。

送别诗中常见的艺术形象

离别的情感是无形的，为了把无形的情感展现出来，往往需要借助有形的东西。在送别诗中，经常用托物寓情、寄情于景的方式来含蓄地表达自己的情感，经常借用的事物有长亭、杨柳、日暮、酒、秋、草、雨、南浦、帆等，下面简单介绍几种。

一、柳、杨柳、柳絮。这是送别诗中最常见的形象。古人很早就有折柳送别的习俗。柳与"留"谐音，因此经常表示留客之意，而且柳枝柔软，被风吹拂时缠绵而摇摆，很像不舍的样子。送别诗中出现柳，大多是表现难舍难分之情。比如王维的"杨柳渡头行客稀，罟师荡桨向临圻"，王之涣的"杨柳东风树，青青夹御河"，郑谷的"扬子江头杨柳春，杨花愁杀渡江人"。

二、日暮、夕阳。送别诗中常出现"日暮""斜阳""夕阳""暮雪""暮钟"等表明傍晚时分的词语。古人并不是喜欢在傍晚时分送别，而是离别的忧伤与日落时的凄凉冷清感有相似之处，而且傍晚时分飞鸟归巢等景象，也更容易引起人的离愁别绪。诗句有李白的"浮云游子意，落日故人情"，王维的"山中相送罢，日暮掩柴扉"，孟浩然的"日暮征帆何处泊？天涯一望断人肠"等。

三、酒。古人送别的时候一般会举行饯别宴，酒是宴席上不可或缺之物。一方面，送行之人借敬酒表达对远行之人的祝福和安慰等；另一方面，酒也可以用来排遣离别之苦和亲友离别之后的孤寂感。所以，酒杯中饱含着浓浓的情感。诗句有王维的"劝君更尽一杯酒,西出阳关无故人",王昌龄的"醉别江楼橘柚香,江风引雨入舟凉",李白的"金陵子弟来相送,欲行不行各尽觞"。

四、雨、雪。离别的场景本来就让人悲伤,如果送行的时候又赶上雨雪天气,就更显得凄凉惨淡。这时候的雨雪绝不会是甘霖、瑞雪,只会引起人内心的寒意,雨和雪为烘托诗歌的气氛和诗人的心境起到了很好效果。如王昌龄的"寒雨连江夜入吴,平明送客楚山孤",高适的"千里黄云白日曛,北风吹雁雪纷纷"。

代表作赏析

几乎所有的唐代诗人都写过送别诗,我们这套《唐诗漫画》中几乎每一册都收录有送别诗。下面选取几首风格不同的来欣赏:

赠 汪 伦

李 白

李白乘舟将欲行,忽闻岸上踏歌声。
桃花潭水深千尺,不及汪伦送我情。

大多数送别诗是送人远行,而这首则是感谢别人来送行。这首诗用夸张的写法形象地表现出了两人之间深厚的情谊,诗中没有表现出离别之苦,在让人感觉清新的同时也让人感动,耐人寻味。

别 董 大

高 适

千里黄云白日曛，北风吹雁雪纷纷。
莫愁前路无知己，天下谁人不识君？

这首诗前两句描画出的是离别时寒冷惨淡的气氛，但后两句却变得壮阔起来。诗人没有沉溺于伤感的心情，与友人依依惜别的同时还鼓舞友人，表现出诗人开阔的胸襟和豪迈开朗的性格。

芙蓉楼送辛渐

王昌龄

寒雨连江夜入吴，平明送客楚山孤。

洛阳亲友如相问，一片冰心在玉壶。

　　这首诗并没有具体写送别的现场，也没有直接表达对亲友的思念之情，而且通过表白自己内心的清白高洁和坚持操守，侧面表现出了亲友之间的相互信任和了解，这比一般想念的言语更加深情而打动人心。

看封面，猜唐诗

幸运抽奖开始了！

 封面上的这幅图，对应着书中的一首唐诗。请你仔细想一想，会是哪一首呢？

活动规则：

1. 请把您的答案邮寄到：
   地　址：北京市朝阳区建国门外大街丙12号605室
   联系人："植物大战僵尸2 唐诗漫画"编写组 收
   邮　编：100022
   或者将答案发送至邮箱yangguanghuiben@126.com，主题栏注明"看封面，猜唐诗"。
   请务必写清您的姓名、联系地址、邮政编码和电话，以便奖品准确送达。

2. 我们将从所有读者来信中抽取20名幸运者，奖励"植物大战僵尸2"系列任意图书一本。

3. 活动截止日期：2017年6月30日。获奖名单将公布在 婴儿画报 微信号（yingerhuabao）上。

中国少年儿童新闻出版总社 "植物大战僵尸" 系列图书获美国EA Inc官方正式授权

图书在版编目（ＣＩＰ）数据

植物大战僵尸2唐诗漫画. 8 / 笑江南编绘. — 北京：
中国少年儿童出版社，2017.3（2017.6重印）
ISBN 978-7-5148-3754-4

Ⅰ. ①植… Ⅱ. ①笑… Ⅲ. ①漫画－连环画－作品集
－中国－现代 Ⅳ. ①J228.2

中国版本图书馆CIP数据核字(2017)第031284号

ZHIWU DAZHAN JIANGSHI 2 TANGSHI MANHUA 8

出 版 发 行：中国少年儿童新闻出版总社
中国少年儿童出版社

出 版 人：李学谦
执行出版人：张晓楠

策　　划：张　楠		审　　读：林　栋　聂　冰		
责任编辑：徐懿如		美术编辑：庞晓文　杨　棽		
助理编辑：刘　露		封面设计：杨　棽　庞晓文		
责任校对：华　清		责任印务：任钦丽		
制　　作：上海京鼎动漫科技有限公司				

社　　址：北京市朝阳区建国门外大街丙12号　邮政编码：100022
总编室：010-57526071　　　　　　　传　　真：010-57526075
发行部：010-59344289
网　　址：www.ccppg.cn
电子邮箱：zbs@ccppg.com.cn

印　　刷：北京瑞禾彩色印刷有限公司

开本：720mm×1000mm　1/16　　　　　　印张：11
2017年3月北京第1版　　　　　2017年6月北京第3次印刷
字数：275千字　　　　　　　　　印数：40001-50000册
ISBN 978-7-5148-3754-4　　　　　　　定价：25.00元

图书若有印装问题，请随时向本社印务部（010-57526183）退换。